D1206300

VANIER
BIBLIO OTTAWA LIBRARY

3. MÉTAMORPHOSE

DESSIN
JUNG

SCÉNARIO ET DIALOGUES
JUNG ET JEE-YUN

COULEURS
JUNG ET JEE-YUN

OTTAWA PUBLIC LIBRARY
BIBLIOTHEQUE PUBLIQUE D'OTTAWA

Dans la même série :
Tome 1 : L'Esprit du lac
Tome 2 : Setsuko
Tome 3 : Métamorphose

Du même dessinateur, chez le même éditeur :
• La Jeune Fille et le Vent (trois volumes) - scénario de Ryelandt

Chaque mois, lisez

Pavillon Rouge▽

**le magazine de bande dessinée
des Éditions Delcourt**

*Chez votre marchand de journaux
et votre libraire spécialisé*

© 2003 Guy Delcourt Productions

Tous droits réservés pour tous pays.
Dépôt légal : juin 2003. I.S.B.N. : 2-84789-056-4

Conception graphique : Trait pour Trait

Achevé d'imprimer en juin 2003
sur les presses de l'imprimerie Lesaffre, à Tournai, Belgique.
Relié par Ouest Reliure à Rennes.

www.editions-delcourt.fr

J'ai...j'ai joué mais, j'ai perdu... pourtant, j'aurais dû réussir.

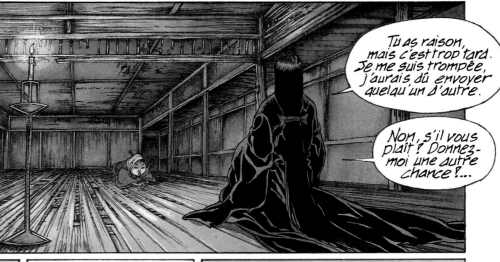
Tu as raison, mais c'est trop tard. Je me suis trompée, j'aurais dû envoyer quelqu'un d'autre.

Non, s'il vous plaît ! Donnez-moi une autre chance !...

Allons, allons, viens-là mon enfant.

Tu n'es encore qu'un enfant, Takeshi, même si tous les petits te considèrent comme leur chef. Cesse donc de te tourmenter, je ne t'en veux pas.

De toute façon, tu n'es pas le seul à avoir échoué.

Ce qui importe, c'est que tu sois revenu, tu aurais pu me fuir et je t'aurais perdu. Toi qui m'est aussi cher que le fils que je n'ai jamais eu...

Justement, et je voudrais tant que vous soyez fière de moi.

3

Tu vas te reposer à présent.

Mais, où allons-nous ?

Je... je ne rejoins pas les autres ?...

Pas tout de suite, Takeshi... je veux que tu comprennes d'abord combien un échec peut être douloureux !

Non ! NOoN ! Pas là...

RÉFLÉCHIS-Y !

CLAC !!..

Mais...mais...NOoN ! Laissez-moi ! Dame Akane, revenez, j'ai peur !...

Je...je vous en supplie !

AAAH ! NOON ! ARRÊTEZ ! JE NE VEUX PAS ENTENDRE ÇA ! NOOON !!

Il le faut, Takeshi... Pourquoi m'as-tu déçue ?

Dans notre monde, seuls les plus forts subsistent. Contemple ce qui nous attend tous, cet au-delà où nous refusons de nous rendre. Il se rapproche ... par ta faute !...

6

7

Il a dû tomber ici !...

Mais...? Où est passé son corps? ...

Hum... j'aurais dû m'en douter... on ne tue pas aussi facilement un fantôme !...

HAHAHA ! La petite guerrière commence à comprendre !

AÂAH, les femmes ! Toutes les mêmes... vouloir jouer aux bâtons comme les garçons.

MONTRE-TOI !! VIENS TE BATTRE !! ...

BROUUUH !

HAHAHA !!...

BON ! ASSEZ RIGOLÉ, SETSUKO !

Tu...tu connais mon nom ??!...

Oui, Setsuko, et tu veux te rendre au château d'Amada, n'est-ce pas ?

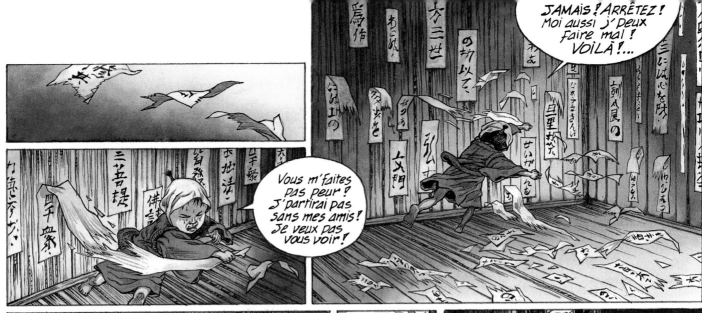

JAMAIS ! ARRÊTEZ ! Moi aussi j'peux faire mal ! VOILÀ !...

Vous m'faites pas peur ! J'partirai pas sans mes amis ! Je veux pas vous voir !

Ouvrez, Dame Arane ! J'peux plus... AAAAH ?!... Je vous en supplie !

BOM ! BOM !!

Ça déchire ! Trop mal... Ne les laissez pas me prendre !

Dame...

Alors, tu es parvenu à résister à l'épreuve des textes sacrés...

Comprends-tu à présent ce qui t'attend si tu nous perds ?...

Je te considérais comme mon fils, Takeshi. Je t'ai recueilli et je me suis occupée de toi. Mais toi, tu ne fais rien pour préserver notre monde, alors, il te fallait une petite leçon.

Maintenant, rejoins les autres pendant que je trouve la façon dont tu pourrais te racheter...

Oublions tout... c'est fini.

10

Oui, Takeshi, réfléchis, car je sens qu'elle se rapproche.

...Oui, c'est fini... j'en ai assez.

BLAM!!...

Mmh... Takeshi... Mmh... nous t'attendions.

Vous auriez pu m'attendre éternellement. Je n'en ai réchappé que parce qu'il fallait que je revienne pour vous emmener avec moi, et que vous sachiez?

Tu es là, Takeshi. Allez, viens! Avec toi, rien de mal ne peut nous arriver... on est ensemble...

Viens...

Viens...

Dame... Akane... je me suis trompé... je suis désolé. Je voulais tellement qu'on ait une maman... qui nous aime... mais c'est une méchante femme?...

Il est temps qu'on se sépare d'elle.

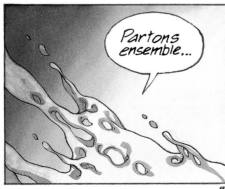

Partons ensemble...

9.

Alors, tu
viens ?... Mais,
il est parti...

Peu importe ?
Merci, Toshiro,
j'espère que
nous nous re-
verrons un
jour.

Tout est trop calme.
Pas d'esprits gardiens
du lac, pas de bruit...
RIEN ? Alors que d'après
les rumeurs, on ne
revient pas vivant.

Reste sur
tes gardes,
Setsuko...
prudence.

11.

Je n'arrive pas à y croire. Le lac !... J'y suis !

L'eau... que va-t-il se passer ? Voyons si réalité et illusion peuvent se confondre.

J'ai peur... quelle est cette angoisse, cette hésitation ? Pense à tout ce qui s'est passé pour y arriver, Setsuko... allez, courage.

Que... ?

RIEN ?! Oh non ! Ce ne peut être vrai... tous ces efforts, toute cette souffrance pour rien !...

Sombre idiote, tu y as même sacrifié l'amour de ta vie !...

72

14

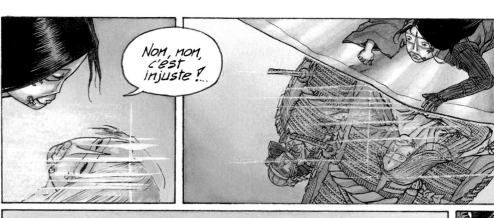

Nom, nom, c'est injuste !...

Qu...?

Par tous les Kamis, Setsukó, BOUGE !

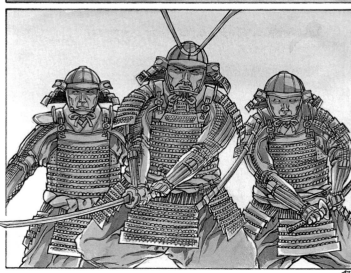

Joli travail, n'est-ce pas ? C'est un cadeau de bonzes généreux !

13.

Vite !

Désolée de ne pouvoir jouir de votre compagnie plus longtemps, mais franchement elle n'est pas des plus accueillantes...

Reste à trouver un moyen pour disparaître.

Et avec les traces que je leur laisse, ce ne sera guère évident.

Han ! Si seulement je pouvais m'évanouir dans les limbes comme les esprits...

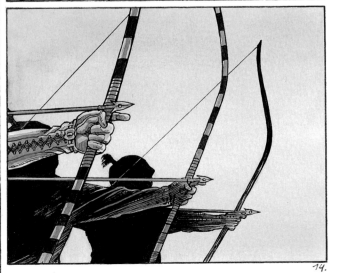

OH NON ! c'est pas vrai !...

14.

15.

...Heu...vous savez, je suis juste de passage... je m'en allais, et...

Toi !!

Sale petit démon ! Je vais te... que me veux-tu encore après tout le mal que tu as fait ??!...

Mais je perds l'esprit... Pourquoi me sauves-tu à présent ?

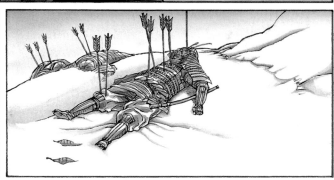

On te demande pardon, on est venus pour se racheter et t'aider.

Faites ce que je vous ai expliqué ! A bientôt, mes amis, je vous attendrai.

Bonjour, Setsuko, je m'appelle Takeshi... on fait la paix ?...

Viens avec moi, Setsuko. S'il te plaît. Fais-moi confiance, j'ai beaucoup de choses à te dire...

17.

19

19.

Donne-moi la main, Setsuko, il faut que je ferme les yeux.

Akane nous fait passer par son passage secret pour boire l'eau, mais par ici je n'y arriverai pas seul...

N'aie crainte, Takeshi, à deux on sera les plus forts.

Mais c'est un caveau ! ...

Il y a une multitude de tombes ! Takeshi, qu'est-ce que cela signifie ?...

20.

Arrêtons-nous ici, Setsuko, je n'en peux plus.

Et maintenant, il faut que tu me lises les inscriptions sur les tombes...

Mais...?

Takeshi?

TAKESHI ?!...

Et l'eau qui monte ?...

AAAH! NOOON!...

Je n'aurais jamais dû lui faire confiance!

Non, je ne t'ai pas laissée tomber.

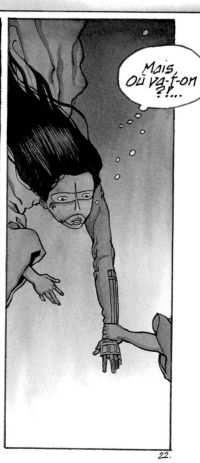

Mais où va-t-on ?!...

22.

23.

25

C'est ça, des bulles?... Mais...

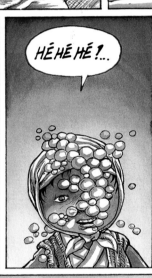

HÉ HÉ HÉ !...

Me revoilà, Seminaru !

Ooh toi, ne m'approche pas ! Immonde crapule, je vais te...

Oui, oui... je sais. Setsuko me l'a dit aussi. Oh, peut-être as-tu oublié qui c'est ?

Ne t'avise même plus de prononcer son nom, avorton ! Si tu es revenu pour me provoquer, tu ne seras pas déçu !

24.

Tu es là ... mon espoir...est-ce un rêve ? Beauté perdue sous un masque...tu as dû tant souffrir...

...toutes ces années, par ma faute.

D'espoirs en rêve, ce n'était plus que cauchemar...mais maintenant j'y crois...grâce à toi. Je ne vivais que par et pour ma beauté. Lorsqu'elle fut à jamais détruite, je perdis ma raison de vivre. La mort me donna l'illusion de pouvoir la faire revivre en renaissant par toi...

Tu es née inachevée, et pourtant animée d'une telle volonté de vivre, d'une telle soif d'amour que tu me l'as communiquée, Setsuko.

En dépit de toutes les souffrances, tu m'as redonné espoir... tu t'es battue pour arriver jusqu'à moi...

Mais cela en valait la peine, car je t'ai trouvée.

Oui, c'est ce qui compte, même si je n'en mérite pas tant.

En effet, tu n'en mérites pas tant !

27.

Eh bien, chère sœur, tu ne me présentes pas ?...

Akane ?!

Va-t'en !

Mmh... oh oui ! La ressemblance est plus que troublante... stupéfiante !...

Surtout lorsqu'on sait qu'il n'y a pas de lien de sang...

Pardon ?

Tais-toi, Akane ! Un mot de plus...

En fin, Orin, tu ne peux débuter une si belle relation par des mensonges !

D'autant que cette courageuse jeune femme a risqué sa vie pour découvrir la vérité.

Préfères-tu que je lui dévoile, moi, la vérité ? ...

JE T'INTERDIS DE LA TOUCHER ! TU VAS LA SALIR !!...

28.

Celte fois, finissons-en !

Tu es décidément aussi monstrueuse à l'extérieur, qu'à l'intérieur !

Tu l'auras cherché, Akane. Sœur ou pas, ce sera toi ou moi !...

À MOI, MES SOLDATS ! EMPÊCHEZ-LA !

Quand comprendras-tu que tu n'es pas de taille à lutter contre moi, Orin !...

Rectifie, contre tes petits chiens de garde, Akane !

HAHAHA !!...

Assez tergiversé! Puisque tu ne te décides pas, je vais lui dire la vérité...

Non! C'est à moi de le faire!

Que veut-elle dire? Répondez-moi! Pas de lien de sang?

Je n'ai pas le temps de t'expliquer, Setsuko. Mais tu es une partie de moi, sans aucun doute la meilleure... Ta mère a été tuée par Akane!...

Mhm... sois plus précise... tu as voulu t'incarner dans une petite fille sur le point de naître...

Tout cela pour retrouver ta beauté et la vie que tu as délibérément quittée et j'ai dû t'en empêcher! Tu es restée prisonnière de ce lac, Orin, car malgré tout tu ne te décidais pas à abandonner tes illusions. Tu te croyais ma prisonnière? En fait, tu ne l'es que de ta petite personne...

ATTENDEZ! Vous ne vous en sortirez pas ainsi!...

Vous avez voulu prendre mon corps, par votre faute ma mère, une femme innocente, s'est fait assassiner. Vous avez brisé ma vie juste pour retrouver votre visage? Je vous maudis!

JE VOUS MAUDIS!...

Alors tout est fini... jamais tu ne pourras me pardonner...

30.

Prisonnière, je le serai pour l'éternité. Accepte au moins mon cadeau en guise d'excuse, le seul que je puisse encore te faire...

Et je le comprends, Setsuko. Moi aussi je me maudis, et c'est pourquoi je ne peux plus partir en paix...

Adieu, Setsuko. Sois heureuse et surtout essaie d'oublier...

Enfin, tu te résignes à ton sort. C'est ça, déchaîne-toi! Tu ne peux plus rien!...

La bataille la plus ardue vient d'être remportée. Allons achever la guerre une bonne fois pour toute!

31.

33

Enfant terrible...
Ne demeure pas dans
l'amertume et la
colère. Tant d'amour
a déjà été piétiné.
Je ne te permettrai
pas de le saccager.

Nanko-
san...

33.

Ainsi, tu étais encore là... J'aurais dû me douter que tapi dans l'ombre, tu attendais... N'as-tu toujours pas compris que c'est fini ? Votre amour n'a plus été qu'une illusion, alors que le mien, ne demandait qu'à s'épanouir.

Peu importe, désormais le goût amer de mes chimères s'évanouit devant ma victoire. Je te laisse à tes rêves.

Quant à vous soldats, ne me décevez pas !

Mais...? Mon masque?...

Un visage? J'ai un visage, un nez, des joues...comme ma peau est douce.

Oui, mais ce n'est pas à toi...

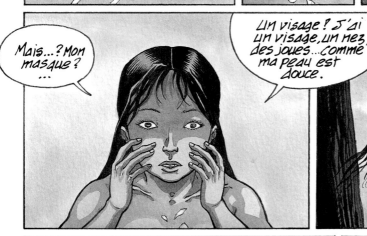

Elle t'a offert ce qu'elle avait de plus cher, ce pourquoi elle a tant souffert. Pourtant, tu possédais déjà ce qui lui manquait : l'envie de vivre, des rêves d'amour qui se sont à présent transformés en amertume et en égoïsme... vas-tu toi aussi devenir l'esclave de ta beauté?...celle qui ne peut que se faner...

Oh, arrêtez! Je sais ce que vous essayez de faire! Vous voulez que je lui pardonne alors qu'elle m'a imposé ses difformités, elle a tué ma mère...

Non Setsuko. Orin m'avait fait le serment que nous nous retrouverions... Elle s'est emprisonnée par culpabilité et par amour pour toi. Elle a négligé notre amour pour t'attendre.

Voilà, Setsuko. Mais peut-être n'es-tu pas capable d'assez d'amour?... Sans doute ton beau visage te suffira-t-il...

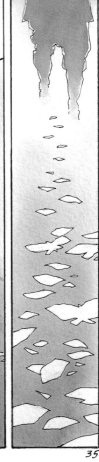

Toi seule lui donneras enfin la paix en lui accordant ton pardon. Et les âmes perdues dans leurs illusions disparaîtront... Moi, je ne peux t'attendre.

35.

Attendez ! Ne partez pas ! Pas comme ça !...

Setsuko ? C'est bien toi, Setsuko ?...

Evidemment ! Je sais, à présent, j'ai un visage, mais...

Et alors ? Joli minois ou pas, l'important c'est de te battre. Alors habille-toi et dépêche-toi ?...

Les filles... y a vraiment que la beauté qui les intéresse, même dans les situations les plus graves...

Ben quoi ! Je suis censée enfiler ça ! Pourquoi ? Tout cet attirail de combat ne me dit rien qui vaille.

Parce-que, fillette, quand on provoque une guerre, on va jusqu'au bout, sinon faut pas la chercher.

Toshiro ? Merci, tu es là...

Ouais ! Mais pas de sensiblerie. Je serai à tes côtés car je suis un guerrier, et toi une inconsciente !...Pour Seminaru et votre amour brisé...

36.

Ton armée est prête, Setsuko. Dernier cadeau de Takeshi !

À quoi bon cette guerre à présent?
Je n'ai plus de raison de me battre?...
Et contre qui? Cela n'a plus de sens,
ces enfants sur le pied de guerre.

T'as raison.
D'ailleurs pour
moi non plus ça
n'en a plus!
Egoïste, qui a
déclenché tout
ça?...

Pose-leur tes
questions. Au
moins eux savent
pourquoi
ils se battent.

SEMINARU?
Est-ce encore
mon imagi-
nation?...

Tu es revenu... tu es vivant? Oui,
c'est bien toi! Tu es vivant!...

Comme je suis heureuse! Ne m'abandonne
plus, Seminaru!... Jamais.

Tout est fini. J'ai trouvé des réponses,
mais pas celle que je croyais. Et
maintenant je le regrette...

Dire que j'ai failli te
perdre alors qu'il n'y a
que toi qui vailles la peine
que je me batte. Tout ce
que j'y ai gagné est
un visage.

Ton visage? Tu n'en as pas besoin, Setsuko.
Mais est-ce bien toi? Je regrette mais je ne te re-
connais pas. Les apparences sont trompeuses, il
ne m'est pas permis de m'y fier. Or il n'y a rien
de celle que j'aime en toi. Encore un leurre?...
Même si votre voix m'est familière,
vous pouvez être n'importe qui.

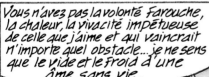

Vous n'avez pas la volonté farouche,
la chaleur, la vivacité impétueuse
de celle que j'aime et qui vaincrait
n'importe quel obstacle... je ne sens
que le vide et le froid d'une
âme sans vie.

Je ne sais qui vous êtes tant la
ressemblance est troublante... de
grâce, rendez-la-moi, nous re-
partirons et vous laisserons en paix.

Ainsi tu
me laisses
encore.

Et cette fois
d'une façon bien
plus blessante...
Bien... c'est ici que
nos chemins se séparent.
Prends soin de toi,
Seminaru... Adieu.

40

Ainsi, tous mes enfants se sont retournés contre moi, alors qu'ils me doivent tant ! Écrasez-les jusqu'au dernier !

Regardez ! Le reste de l'armée d'Akane arrive en renfort !

Dame Akane, les pirogues sont parées ! Nous attendons vos ordres !

Ils sont démoniaques ?!...

Alors toi aussi... dernière flamme qui me réchauffait encore, tu t'éteins doucement. Plénitude illusoire dans laquelle a basculé toute réalité et qui s'achève sur ce réveil amer où l'amour ne trouve plus sa place. Ce n'était aussi qu'un rêve et nous n'y avons pas résisté. Que me reste-t-il à présent ? Débris du passé, avenir obscur...

Mais celle que je vois, est-ce moi ? Profondément, le néant. Juste des réponses dont je ne sais quoi faire et qui ont tout gâché.

Non, c'est faux ! C'est moi qui ai tout gâché. Notre amour et son attente à elle que je n'ai même pas écoutée. Pourtant, je ne vaux guère mieux puisque toutes ses erreurs, je les ai répétées. Pour un visage, j'ai oublié ce qu'il y a derrière.

Alors, même si c'est trop tard, je te supplie de m'écouter, Orin. Ce présent que tu m'as laissé, je ne veux pas le garder...

Je n'ai pas le droit de te juger. Reviens, je n'ai rien à te pardonner, mais tant à te donner...

Que...?

STUPIDE ENFANT !...

Tu ne comprends donc pas que les sentiments ne mènent qu'à la perte ?... Là, tu le comprends !

40

Je vais t'aider à t'en débarrasser... Je refuse que tu lui redonnes espoir.

Il faut qu' elle souffre, elle aussi d'être rejetée et seule à jamais !

J'ai tant sacrifié pour goûter à ma victoire ! Je pensais t'épargner puisque tu as porté le coup de grâce à ma sœur... mais tu es revenue... décidément, ta petite sensibilité m'écœure !...

MEURS !

Oui, meurs ! Et rien ne pourra se dresser contre moi !...

C'est cela, laissez- la rejoindre votre sœur !!....

Enfin, elles pourront s'en aller toutes les deux vers l'autre monde et faire disparaître votre petit monde d'illusion.

N'avez-vous donc pas encore compris ? Elles se sont déjà fondues en une seule personne. Reste à savoir si leurs âmes se suffiront d'une seule enveloppe !... Peut-être, si Setsuko accepte cette autre partie d'elle-même !...

C'est ainsi que tu penses pouvoir me la faire épargner ?

Oui, j'accepte...

Décidément, l'amour rend aveugle, même ceux qui ne peuvent voir...

Tu fais partie de moi, Orin. Cela ne nécessite aucun pardon, aucune condition.

Alors vis, Orin, RELÈVE-TOI POUR NOUS ?...

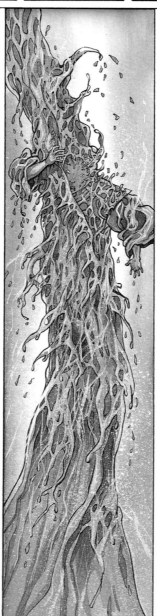

42.

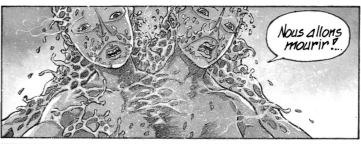

Setsuko, ne pars pas avec Orin, laisse la partir et bats-toi, pour moi cette fois, mon amour, pour nous! Je ne peux pas vivre sans toi, j'ai essayé mais j'ai trop besoin de toi... la plus belle façon de l'aimer, c'est de la libérer... prisonnière, elle l'a été assez longtemps.

Elle te manquera mais nous arriverons à combler ce vide. Je suis revenu pour toi. Même voir n'a plus de sens si je ne peux pas partager ça avec toi... donne-nous une chance.

Nous sommes libres à présent...

Seminaru...

Petite fille... merci.

J'emporte avec moi cet amour que tu as bien voulu me donner et tu vivras en moi... ce n'est pas un adieu. Vis Setsuko, aime, ne cesse jamais d'aimer, et je serai là... c'est ça la beauté.

44.

Enfin! Ils se sont tous re-trouvés!... Et moi, héhé, j'suis à'nouveau tout seul... Ça m'apprendra a toujours m'occuper des affaires des autres.

Et puis assez, moi aussi j'm'en vais... Ça devient trop romantique pour moi, ici!

Allons voir de l'autre côté, y aura p't-être un peu d'animation...

45

Il est temps de partir, Setsuko...

Je savais que tu resterais avec moi...

Oui, j'arrive, Seminaru.

SUNG et Jee-yun

FIN.